JOURNEY

Marker Techniques by Procreates

디지털 마커 드로잉 작품집 　Vol. 1

지은이 | 전연희

출판사 | 청희연

KB015439

Prologue

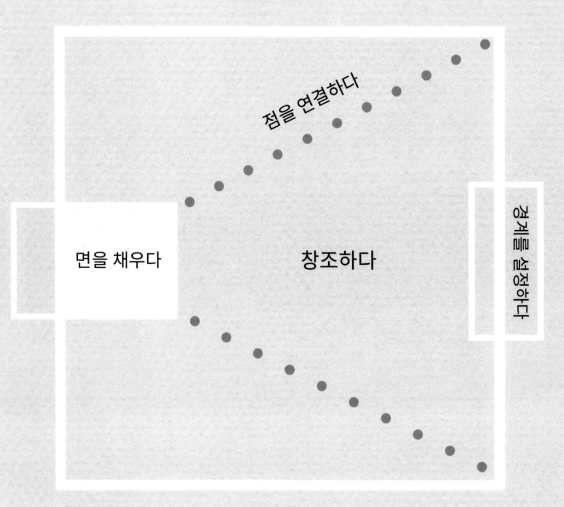

선을 긋다

점을 연결하다

면을 채우다

창조하다

경계를 설정하다

전 연 희
공간디자이너
디지털 크리에이터

걷는 여행

벚꽃이 만개하고 화창한 날
길을 걷다 만난 카페들...

봄날의 따스함과 함께
기억되는 공원의 조형 공간

한복을 입고
소나무 가로수 길을 걷는 이들과
함께 걷다가 만난 전시매장

기록하고 창조하다

길을 걸으며
혼자 그리고 함께 걸었던
그 순간의 기억을
기록하고
나의 빛깔로 창조하다.

시작하기에 이미 너무 충분하고
완성이라기에 조금 부족한
그 모호한 경계에서
단락을 짓다.

2023년 10월에

JOURNEY

01

MATTGREEN
매트그린

Rooftop cafe

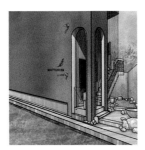

- Facade

7

MATTGREEN
매트그린

Rooftop cafe

- Interior perspective

9

MATTGREEN
매트그린

Rooftop cafe

- Rooftop perspective

11

Contents

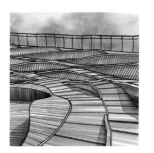
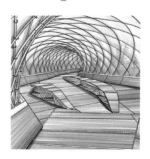

MATTGREEN

매트그린

Cafe 1층 VIEW

01

경기 수원시 팔달구
화서문로45번길 8

MATTGREEN
매트그린

Rooftop cafe

FACADE

2층 VIEW

01

MATTGREEN
매트그린

Rooftop cafe

INTERIOR
PERSPECTIVE

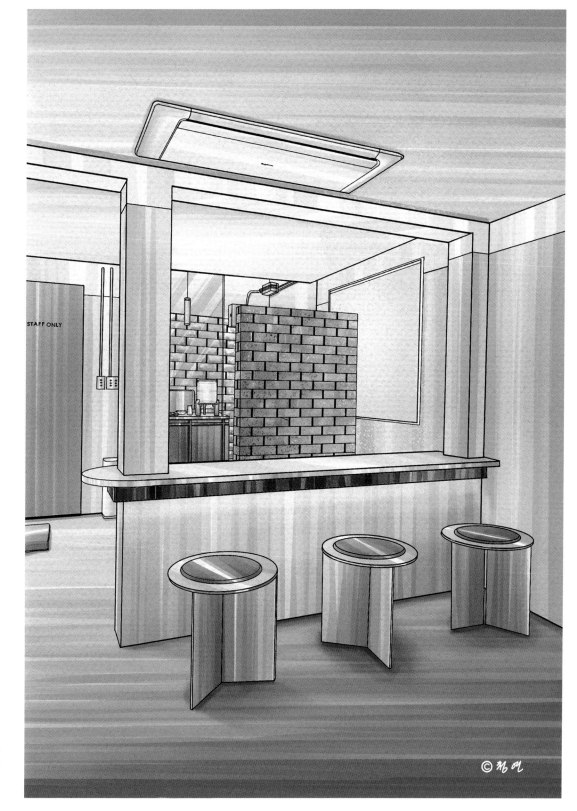

Rooftop cafe 전경

01

경기 수원시 팔달구
화서문로45번길 8

MATTGREEN
매트그린

Rooftop cafe

ROOFTOP
PERSPECTIVE

PARCONIDO

파르코니도

벽돌의 구성

Rooftop cafe 2층 진입부

02

경기 고양시 일산동구
월드고양로 102-65

PARCONIDO
파르코니도

Rooftop cafe

ROOFTOP
PERSPECTIVE

Marker Coloring Tip

선택과 집중

- 벽돌의 메지가 선명한 패턴

- 디테일에 집착하지 않고
  원경과 근경을 구분하여
  통일감 있게 원근감 표현

- 강한 콘트라스트 / 진한 컬러

곡면 | 수직면 그림자

마커 컬러링의 특징

- 마커 팁의 두께에 따라 선의
  굵기가 지정되어 제한적이다

- 선을 그어서 면을 칠하기 때문에
  팁의 터치가 드러나고 곡선/
  곡면의 표현이 자유롭지 않다.

- 여러 번 덧칠할 경우 뭉개진다.

- 원하는 농도와 컬러를 첫 회에
  칠하고 덧칠은 최대 3번 정도

- 디지털 마커의 최대 장점은 디지털
  색공간의 풍부한 색을 사용한다.

- 다양한 패턴 브러시를 활용한다.

직물 패턴 브러시
-> 레이어 마스크

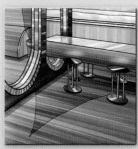

그림자 | 테이블 반사

1. 바닥 | 원근감

2. 근경 | 물체 집중 표현

3. 곡면 | 수직면 원근감

2층 카페 내부
좌측 전경

모자이크 타일과 합판을
사용하여 곡선을 구성

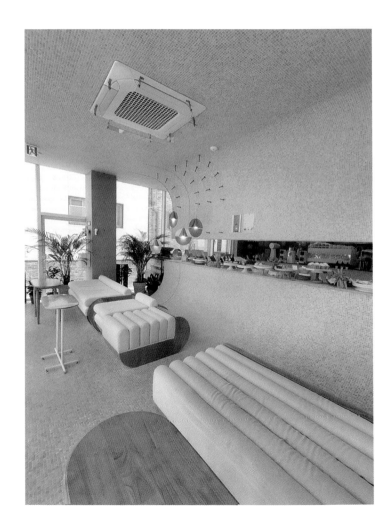

2층 카페 내부
우측 전경

Sulwhasoo

설화수의 집

설화수 화장품 쇼룸과 판매공간

03

서울 종로구 북촌로 47

Sulwhasoo
설화수의 집

Flagship store

INTERIOR
PERSPECTIVE

설화수 화장품 쇼룸과 판매공간

Vito Acconci's work

나무위의 선으로 된 집

자유로운 곡선을 이용한 평면 구성
다양한 높이로 들어 올려 진
야외 공연장과 경사로

경기 안양시 만안구
예술공원로131번길 7

04

Vito Acconci's work
야외 공연장

Outdoor theater

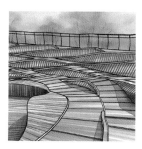

EXTERIOR
PERSPECTIVE

Vito Acconci's work

나무위의 선으로 된 집

산책로 터널

경기 안양시 만안구
예술공원로131번길 7

04

Vito Acconci's work
산책로

Walking trails

INTERIOR
PERSPECTIVE

J O U R N E Y

Marker Techniques
by Procreates

사진 | 전연희
글그림 | 전연희
디자인 | 전연희

초판 발행 | 2023년 10월 31일
출판사 | 청희연
출판등록 | 2023년 08월 29일
　　　　　(제2023-000098호)
이메일 | bluebliss323@gmail.com

정가 | 16,000원
ISBN | 979-11-984650-1-6 (03650)